QUINO

LA AVENTURA DE COMER

EDICIONES DE LA FLOR

Quino
La aventura de comer -2ª. ed. -Buenos Aires: Ediciones de la Flor, 2008.
104 p. ; 28x20 cm.

ISBN 978-950-515-784-6

1. Humor gráfico argentino I. Título
CDD A867

Diseño de tapa y diagramación: Paula Beinstein

Segunda edición: octubre de 2008

Placa de plata, otorgada a Quino
por la Asociación Madrileña de Empresarios de Restaurantes
y Cafeterías, por haber contribuido con sus manifestaciones gráficas
al prestigio y la difusión gastronómica.
Madrid 19 de junio de 1997

Buenos Aires, cambio de hogar.
Menú propuesto al grupo de amigos invitados a conocerlo.

Appetizers

- Viande froide   *
- Crème d'avocat
- Crema di melanzane
- Bocconcini di Buffala
- Tonno alle olive

- Fricasseé froide de volaille
- Arenques a la remolacha
- Cuori di palma

- Lenticchie alla milanese

- Gelati e sorbetti
- Caffè - Petit fours

- Vino blanco
- Vino rosso
- La Champagna

* Panecillos de olivas

PERO...¿QUÉ ES ESTO?
¡¡CAMARERO!!!...

¡UNA MOSCA EN MI "SOUPE-NATURE"!
¿SE DA CUENTA? ¡¡UNA MOSCA!!

MIL DISCULPAS, SEÑOR, NO SÉ CÓMO HA PODIDO
OCURRIR ¿USTED CUÁNTAS DESEARÍA?

NO SÉ,...SIETE U OCHO, POR
LO MENOS, ¿NO?

BIEN, SEÑOR.

¡MISERABLES!

¿NO ES UNA VERGÜENZA? SE DICEN UN
RESTAURANTE DE LUJO, ¡Y MEZQUINAN
LOS INGREDIENTES!

¡¡CÓMO SE ESTÁ PONIENDO
EL MUNDO, DIOS, CÓMO SE
ESTÁ PONIENDO EL MUNDO!!...

¡¡ESO!!

¿CON O SIN AJO?

Champignons...¡No, spaghetti!...
¿Roast-beef?...¡Pizza!...

¿Y EN SU ANTERIOR TRABAJO EN UN RESTAURANTE, QUÉ FUE LO ÚLTIMO QUE HIZO?

¿YO?...LA PUERTA, MI ÚLTIMO DESTINO FUE LA PUERTA.

~¿HAY DERECHO?... ¡SI EN CUALQUIER LIBRO DE GABRIEL GARCÍA MÁRQUEZ SE INCENDIA EL AGUA, O LAS CEBOLLAS SE TRANSFORMAN EN MARIPOSAS, ESO ES "REALISMO MÁGICO"; AQUÍ, SE QUEMA UNA OMELETTE, O APARECEN MOSCAS EN LA COMIDA, ESO ES "ESTÁ DESPEDIDO, IMBÉCIL"!!!

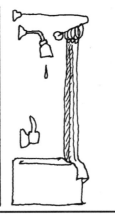

PROFESOR
IVAN KRUNF
CLASE
MAGISTRAL
"CÓMO SER
UNO MISMO"

· SER O NO SER: HE AHÍ EL ¡DILEMA!

¡MORIR!...¿ES DORMIR?... ¿NO MÁS?

¿SON CIERTAS NUESTRAS DUDAS O DUDOSAS NUESTRAS CERTEZAS?

¡OH, YORIK!...¿DE AQUELLO QUE FUISTE, ESTO ERES? ¿CUÁL DE LOS DOS ES EL REAL?

¡MUERO!...¡LO DEMÁS ES SILENCIO!

¡BRAVO! ¡BRAVO! ¡BRAVO! ¡BRAVO!

TEATRO HAMLET

¡UN AUTÓGRAFO, POR FAVOR!¡NUNCA VI UN HAMLET TAN GENIAL! ¡NO SABE CUÁNTO LO AMO!

¡GRACIAS, DULCE MUCHACHA!¿ME HARÍA EL HONOR DE ACOMPAÑARME A CENAR YA MISMO?

¡¡DIOS: MUERO!!...

¡QUÉ DILEMA: AGUA CON GAS O NATURAL?..

¿Y EL VINO?¿TINTO, BLANCO, QUIZÁS?

¿QUÉ PEDIR? COMER ES VIVIR, PERO ¿NECESITA COMIDA EL ALMA?

¿QUÉ SOSIEGA MÁS A MI ESPÍRITU ESTA NOCHE: RIÑONCITOS PROVENZAL, LASAGNA BOLOGNESA, TAL VEZ?...

¿QUIÉN SE HOSPEDA EN MI ESTÓMAGO: EL HAMBRE O LA GULA?

CAMARERO, MIENTRAS MARCHA
MI LOMITO ALMENDRADO
AL MARSALA, ¿ME TRAE
MÁS PAN, POR FAVOR?

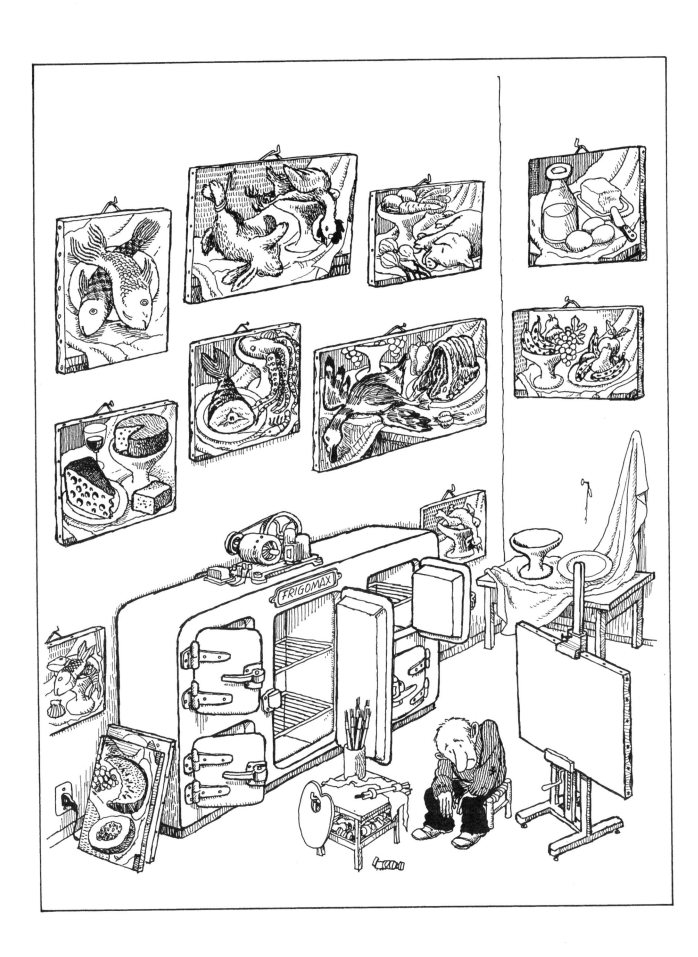

¡¡A VER, MÁS CHAMPAGNE PARA TODOS!!

¡ESO! ¡Y A MÍ!

¡ESTAS OSTRAS ESTÁN BUENÍSIMAS, MAMÁ!

PUES AQUÍ LLEGA OTRA EXQUISITEZ DISTINTA: ¡PRESITAS DE FAISÁN TRUFADAS, EN SU COULIS DE ARÁNDANOS AL CAVIAR!

¡Y DE POSTRE, EL DELICIOSO SOUFFLÉ DE **CHOCOLATE AL PATXARÁN** SOBRE CROCANTE DE LIMA GLASEADA!

BUENO, LO DE IR TODOS ESTA NOCHE A LA GRAN GALA DE LA ÓPERA NO VA A PODER SER, YO MAÑANA TEMPRANO PRESIDO UNA REUNIÓN DE DIRIGENTES DE EMPRESA.

TAMBIÉN YO TENGO PILATES, LA NENA DANZA Y MAX ENTRENA RUGBY.

TODO ESO SI MAÑANA TENEMOS UN DÍA NORMAL, CLARO

NUNCA SE SABE, PORQUE EN ESTE PAÍS LA REALIDAD DA PARA QUE UNO PUEDA IMAGINAR CUALQUIER COSA.

~ES MUY DESCORAZONANTE TRATAR DE AYUDARLOS A SALIR DEL HAMBRE: LES DECIMOS QUE DEBEN APRENDER EL **KNOW-HOW** DE UN BUEN **CATERING** Y NOS MIRAN COMO SI LES HABLÁRAMOS EN CHINO.

Kirije?

ESTEE...SÍ, YO QUISIERA COMER....
MANGIARE...TO EAT...¡SÍ?...
Aaaah...rúgy-rúgy
¡ESO, SÍ!

"¡rúgy-rúgy"
¡JÍH-JÍH!...

éXo: rúgy-rúgy

!

¡PE...PERO,..NOO!...
¡NOOO!..

¡YO HAMBRE!...HUNGER!..FAIM!...
STOMACH!..MAGEN!..PANCITA!..
Aaaah!...Komprenty!

lunarity? rómboka? Zágu-zígu?
rayanda?

¡NO, NO y No!..¡PIZZA!¡CARNE!
SOUP! KARTOFFELN!¡LO QUE SEA!.
¡COMER!¡GÑÁM-GÑÁM!...

Aaaah!...Tíh?
O.K?

¡SÍ, ESO, SÍ! YES!
OUI! O.K., O.K.!

antipákta ku!

~...TANTOS AÑOS TRABAJANDO CON ESTA MÁQUINA,
QUÉ SÉ YO, UNO SE ENCARIÑA, ASÍ QUE CUANDO VINO LA
ABOLICIÓN DE LA PENA DE MUERTE SE ME OCURRIÓ, ESTO QUE, COMO TRABAJO, NO ES MUY DIFERENTE.
SOLO QUE EN AQUELLOS TIEMPOS LA GENTE AQUÍ SUBÍA CON OJOS DE TERROR, O DE REBELDÍA,
O DE RESIGNACIÓN, O DE HEROÍSMO; GRITABA COSAS IMPORTANTES: *"¡MUERO POR LA LIBERTAD!"*
"¡QUÉ INJUSTO ES EL MUNDO!". EN CAMBIO AHORA, ESTA CLIENTELA: *"200 GRAMOS DE ÉSTE"*, *"150 GRAMOS
DE AQUÉL"*,...¡YONNNOSÉ, YA NADIE PONE PASIÓN EN NADA!!.

~¡CARNE, CARNE; HE AQUÍ QUE ESTO SOMOS!¿CÓMO PUEDE SER ELLA MADRIGUERA
DE NUESTROS MÁS BAJOS INSTINTOS Y A LA VEZ SUBLIME MORADA DE
NUESTROS MÁS NOBLES SENTIMIENTOS?; TAL VEZ UN DÍA LA AFILADA HOJA,
DE LA RAZÓN NOS ABRA EN DOS COMO A ESTAS RESES PARA PODER ASÍ
VERNOS POR DENTRO Y NOS SEA DEVELADO FINALMENTE EL MISTERIO!

¿NO QUIEREN DECÍRMELO, EH? ¡NO IMPORTA: COMO QUE ME LLAMO SIR RODNEY QUE AVERIGUARÉ PARA QUÉ USAN USTEDES ESA EXTRAÑA LANZA!

¿Y ESTOS "TROCITOS SIR RODNEY" QUÉ VIENEN A SER?

UNA BROCHETTE, SEÑOR

~USTED SABE LO QUE OCURRE HOY CON EL TEMA DEL TRABAJO TEMPORARIO:
AL JOVEN MÉDICO QUE IBA A HACERLE LA PUNCIÓN DE TIROIDES LE TOCÓ
GUARDIA EN UN DEPARTAMENTO DE LA INMOBILIARIA DE LA QUE ES VENDEDOR,
PERO NO SE PREOCUPE; AQUÍ, ESTE JOVEN CAMILLERO TRABAJÓ UN MES
EN UN "GRILL" Y CON ESO DE LAS BROCHETAS APRENDIÓ A DARSE MAÑA
CON CUALQUIER COSA QUE HAYA QUE ANDAR PINCHANDO.

~SÍ, SENCILLA ES, PORQUE VIENE ELLA MISMA A HACER LAS COMPRAS,
SOLO QUE TRAER A SU OSTEÓPATA PARA QUE DIGA CUÁL ES EL MEJOR
HUESO PARA EL CALDO ME PARECE...NO SÉ, UN POCO QUÉ SÉ YO....

~PUES NOSOTROS SEGUIMOS LA DIETA QUE NOS ACONSEJÓ UN AMIGO COLOMBIANO, PERO VAYA A SABER POR QUÉ, HASTA AHORA NO NOS HA DADO MUCHO RESULTADO, QUE DIGAMOS.

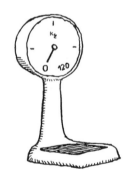

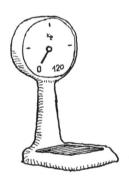

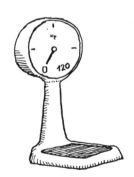

A MÍ, UNA AMIGA ME DIJO QUE PARA ADELGAZAR NO HAY COMO LA DIETA DE LA GACELA

SONABA LÓGICO: LA GACELA COME SÓLO VERDE Y ES DELGADA

ASÍ QUE PASÉ A LA DIETA DEL COCODRILO. CON LA DIETA DEL COCODRILO UNA COME DE TODO, PERO LUEGO LLORA COMO UN COCODRILO DESPUÉS DE HABER COMIDO

SE SUPONE QUE ESTO GENERA CULPA, Y QUE ESA CULPA QUITA LAS GANAS DE COMER

...REDUCE LA GRASA ABDOMINAL. Y REÍR ES DIVERTIDO, HASTA QUE UNA SE SUBE A UNA BALANZA...

AL FIN, CANSADA DE FRACASAR CON DIETAS ANIMALES, DECIDÍ AVERIGUAR ALGUNAS DE LAS TANTAS DIETAS QUE SIGUEN LOS SERES HUMANOS

COME SÓLO VERDE Y ES DELGADA PORQUE COMERÁ POCO, DIGO YO

PORQUE TAMBIÉN LA VACA COME SÓLO VERDE Y ES GORDA, QUE FUE MI CASO

SE SUPONE MAL: YO COMÍA Y LLORABA, COMÍA Y LLORABA... ¡Y NADA!...

ENTONCES ME CONTARON DE LA DIETA DE LA HIENA, QUE ES IGUAL A LA DEL COCODRILO PERO TODO LO CONTRARIO: UNA COME Y SE RÍE, COME Y SE RÍE, ... Y LA RISA, DICEN, ...

Y DESCUBRÍ UNA CON LA QUE SEGURAMENTE SÍ SE ADELGAZA: LA DIETA DEL JUBILADO, LA LLAMAN

PERO NO SÉ, ... ME PARECE QUE VOY A VOLVER A BUSCAR, DE NUEVO, UNA DIETA MÁS HUMANA DE ALGÚN OTRO BICHO.

QUISIERA COMER ALGO SANO, ¿QUÉ ME ACONSEJA?

PERMÍTAME SUGERIRLE EL **SANI-BURGUER**, CREACIÓN DEL CHEF PENSANDO EN LA SALUD DE NUESTROS CLIENTES.

VOILÁ!

¡¡PPTUA'AGH!!

¡¡PERO,...ESTA HAMBURGUESA ES ASQUEROSA!!...¿QUÉ LE PUSIERON?

VERÁ: LA CARNE VIENE MEZCLADA CON ATORVASTATINA, EXCELENTE FÁRMACO QUE REDUCE EL COLESTEROL Y LOS TRIGLICÉRIDOS

Y EL PAN VA UNTADO CON PASTA AL FLÚOR, QUE PROTEGE LOS DIENTES DURANTE TODO EL DÍA.

 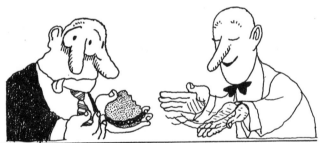 

¡QUÉ TRISTE, LA GENTE NO ESTÁ ACOSTUMBRADA A QUE SE LA CUIDE HONESTAMENTE!

~ SIENDO PRIMERA VISITA EL PROFESOR PERMITE AL PACIENTE
UN ÚLTIMO GOCE OPCIONAL MIENTRAS ESPERA SER ATENDIDO.
DE LO QUE YA NUNCA MÁS VOLVERÁ A PROBAR EN SU VIDA, ¿QUÉ
PUEDO OFRECERLE: TABACO, CAFÉ, CHOCOLATE, ALCOHOL...?

SU TENSIÓN ARTERIAL ESTÁ
UN POQUITÍN ALTA, ASÍ QUE
MUCHA CALMA, ¿EH? NADA DE
DRAMATIZAR NI ANGUSTIARSE
¿PROMETIDO?

PROMETIDO, DOCTOR:
NI DRAMA NI ANGUSTIA

Y BEBA MUCHO LÍQUIDO
PERO, ESO SÍ, NADA DE SAL.

¡¿CÓMO NADA DE SAL?!

¿O SEA QUE NI SIQUIERA PODRÉ
SORBER MIS PROPIAS LÁGRIMAS?

PECHUGA DE POLLO HERVIDA, SIN PIEL. VERDURAS AL VAPOR. QUESO DESCREMADO. TODO SIN SAL.

FIAMBRES, NADA. FRITOS, MENOS. VINO, SÓLO ½ VASO. CAFÉ, UNO AL DÍA. DULCES, UN VENENO. TABACO, NI HABLAR.

¿PARA QUÉ TODAS ESAS PRIVACIONES? ¿VALE LA PENA CUIDARSE TANTO?

¡SÍ, VALE LA PENA, PORQUE YO QUIERO VIVIR SANO MUCHOS, MUCHOS AÑOS PARA VER CÓMO SERÁ ESTE MUNDO EN EL FUTURO!

¡¡PARA VER CÓMO SERÁN, QUÉ PENSARÁN, DE QUÉ MODO EMPLEARÁN, LAS NUEVAS GENERACIONES, TODA ESTA MARAVILLOSA TECNOLOGÍA DE HOY!!

TI, ¿MAMÁ? ¡OTA VE' ETE NENE.... CACA!!

BIEN, ENTONCES ESTA NOCHE, TENEMOS: COMO ENTRADA, PICADA DE RABAS, MORTADELA Y CHORIZO COLORADO. DE PRIMERO, HUEVOS FRITOS CON TOCINO. PLATO PRINCIPAL, RODILLA DE CERDO AHUMADA A LA CREMA DE LECHE CON CHOUCRUT, UNA (BA'H, DOS) BOTELLAS DE CABERNET SAUVIGNON. DE POSTRE, PROFITEROL. UNA GRAPPITA, UN CIGARRITO... ¡AH, CAFÉ!..

ASÍ QUE EN JAPÓN TAMBIÉN
MANIPULAN GENES...¿COMO NOSOTROS?

OTRO ESTILO, HAN PROCREADO UNA
RATITA SÓLO DE MADRE....

...SIN NECESIDAD DE NINGÚN PAPÁ
RATONCITO.

¿Y PARA QUÉ SIRVE, LA RATITA?

QUE SE SEPA....

....PARECE QUE PARA ESTUDIARLA,
NO MÁS.

RARO.   PSI.

POCO SENTIDO PRÁCTICO, LOS JAPONESES.

—COMPRENDO QUE PICAR LECHUGA PARA DOSMIL TRESCIENTOS EFECTIVOS
NO ES TAREA SENCILLA, SARGENTO, PERO EL PERSONAL SE QUEJA DE
QUE LA ENSALADA TIENE GUSTO A PÓLVORA

MUY SENCILLO, DOÑA XIMENA: TROZA USTED
EL ANIMAL, LO PONE EN UN CALDERO CON
MUCHO DE TOCINO, CEBOLLINES, AJOS, GUISANTES,
LAUREL Y ROMERILLO, DEJA QUE AQUELLO CUEZA
DEBIDAMENTE Y A LAS TRES HORAS TENDRÁ
UN "DRAGÓN A LA SAN JORGE" QUE YA ME
DIRÁ USTED

¿VE, SEÑORA?.. YO, ESTO SÍ: SACRIFICAR POLLOS YA NACIDOS,
DESANGRARLOS, TROCEARLOS, FREÍRLOS, ASARLOS,...
¡¡TODOS LOS QUE QUIERA!!

PERO INTERRUMPIR LA VIDA DE UN POBRE INDEFENSO
POLLITO, AÚN SIN NACER, PARA HACER UNA TORTILLA,
RUEGO A LA SEÑORA QUE NO ME LO PIDA PORQUE NO LO
HARÉ JAMÁS!!....

~SI LOS DISTINGUIDOS SEÑORES ME LO PERMITEN, ME ATREVO A SUGERIRLES QUE REGALEN SUS
FINOS PALADARES CON ALGUNO DE LOS EXQUISITOS PLATOS QUE NUESTRA COCINA OFRECE EN UNA
AMPLIA Y DELICIOSA VARIEDAD DE CARNES, YA SEAN ESTAS BOVINAS, PORCINAS, OVINAS, DE AVE, DE
PESCA O DE CAZA, Y QUE NUESTRA SELECTA Y EXIGENTE CLIENTELA PUEDE SABOREAR CONFIANDO
EN LA ABSOLUTA FRESQUEZA DE LAS MISMAS, PUES EN TODOS Y CADA UNO DE LOS CASOS SE TRATA
DE ANIMALES MUY RECIENTEMENTE FALLECIDOS.

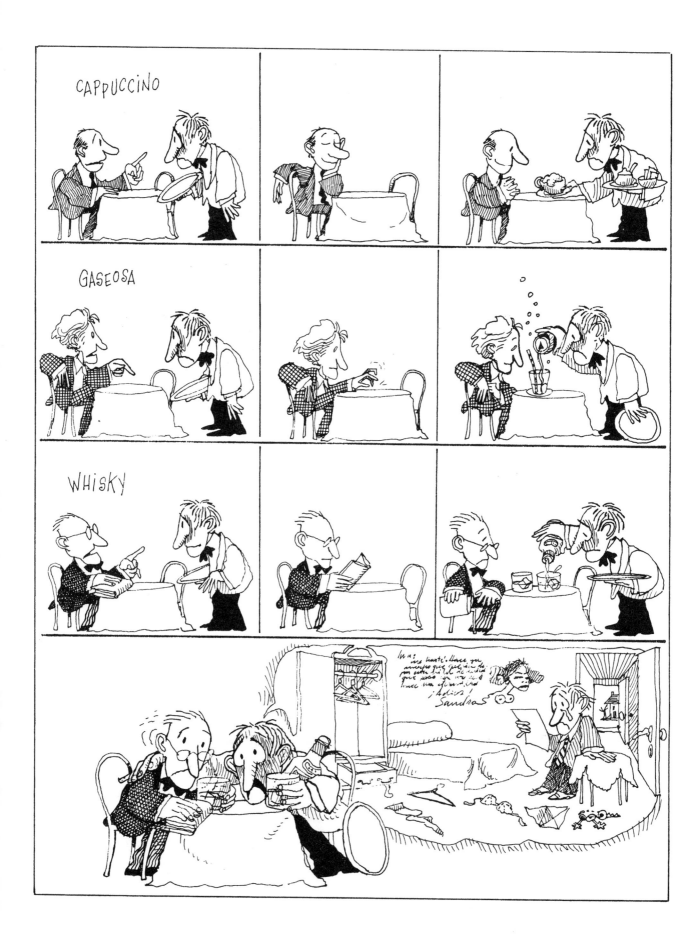

~SÍ, CLARO, IR A ALCOHÓLICOS ANÓNIMOS LE
RESULTA FÁCIL, LO QUE SE LE HACE DIFÍCIL
ES VOLVER LUEGO A CASA.

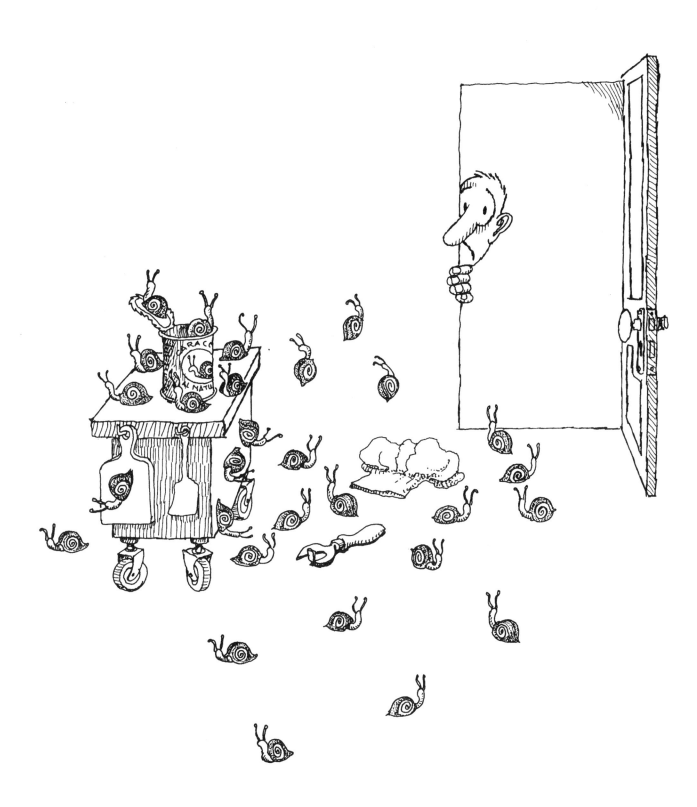

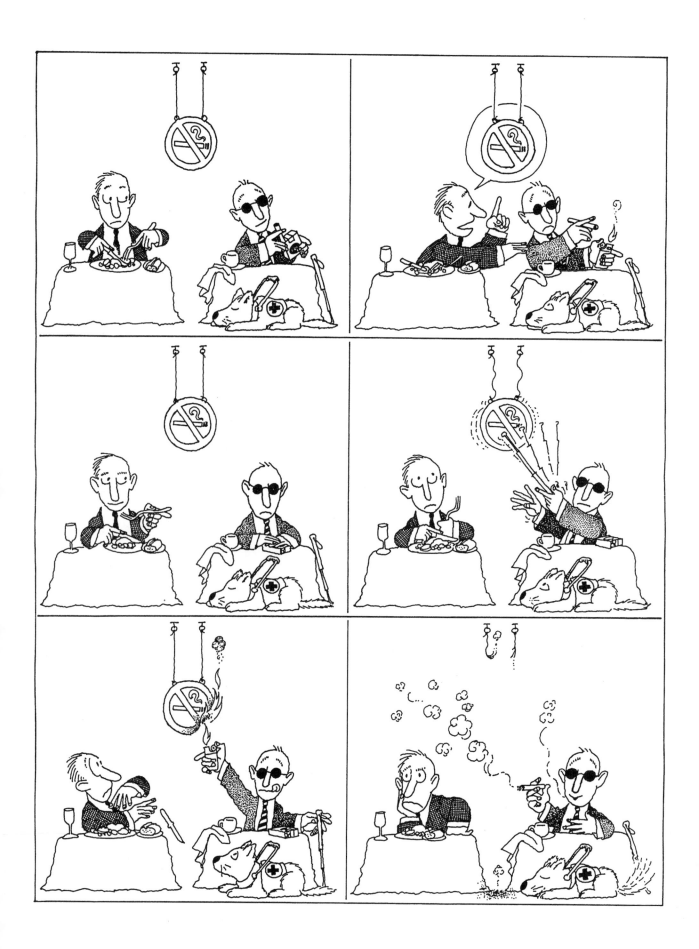

BUENAS, ¿EL SEÑOR DESEA?

DESEO UN GOBIERNO DIGNO, HONESTO, ECUÁNIME... ¡ESO DESEO!

AJHÁ...¿LO DESEA CHICO O GRANDE?

¡LO DESEO MORAL Y POLÍTICAMENTE GRANDE!!

Y DÍGAME, ¿CON LECHE O SOLO?

¡¡JAMÁS SOLO!! ¡¡TODO BUEN GOBIERNO ESTÁ SIEMPRE JUNTO A SU PUEBLO!!!

DE ACUERDO.

CABALLERO, SU CORTADITO.

BUENO, ¿QUÉ MIRAN? ¿O ME VAN A DECIR QUE USTEDES, CADA DÍA, NO SE BEBEN SORBO A SORBO ESTA MISMA FARSA?

BUEN DÍA, UN CAFÉ

¿SOLO?

SÍ.

PERMÍTAME SU DOCUMENTO, POR FAVOR

¡¡¿CÓMO MI DOCUMENTO?!! ¿POR QUÉ MI DOCUMENTO?

¡¡LOCOS, TODOS LOCOS POR EL SÍNDROME DE LA INSEGURIDAD!!

¡BUÉH!...AL MENOS ÉSTOS NO ESTÁN CON LA PARANOIA DE EMULAR A LA CÍA Y EL F.B.I.

BIEN, AQUÍ LE DEJO,··¿EHÉ? ¡GRACIAS!

· · · · · · · · · · · ·

RAZONES DE SEGURIDAD: EL CAFÉ ES UN EXCITANTE, Y HOY, ALGUIEN QUE VAYA EXCITADO POR AHÍ PUEDE SER MUY PELIGROSO. CONVIENE CONTROLAR.

NO, MIRE, MEJOR OLVIDE MI CAFÉ, ¡ADIÓS!

BUEN DÍA, UN CAFÉ

SÍ.

¿SOLO?

¡VUALÁ, MESSIÉ!

¡GRACIAS!

¡¡A USTED, SEÑOR ALEX GÓMEZ PERINETTI!!

¿¿Y USTED CÓMO SABE MI NOMBRE??

...PERO NO DEBE PREOCUPARSE, HOY LAS COSAS SON ASÍ.... MIS SALUDOS A SU ESPOSA MARY, SUS HIJOS IVAN Y JESSICA, A SU SEÑORA MADRE DOÑA PILAR........

Esta edición de 3.000 ejemplares se terminó de imprimir
en **GRÁFICA GUADALUPE**, Av. San Martín 3773
(B1847EZI) Buenos Aires, Argentina, en octubre de 2008.